LES MANUSCRITS DE SANG

Annaïs Chansky, investigatrice du paranormal

TOME 2

LA CITÉ SOUS LES EAUX

scénario
LATIL

dessin
JULIÉ

couleurs
GRIGOLI

À mes parents.

A.J.

ANNAÏS?

JE VOUS DÉPOSE QUELQUE PART, MADEMOISELLE?

RAPHAËL? QUE DIRAIS-TU DE FUIR LA VILLE QUELQUES JOURS?

DE DÉCOUVRIR DE NOUVEAUX HORIZONS!

ON A UNE CHANCE D'EN REVENIR?

SI TU LE PRENDS COMME ÇA...

UNE AMIE À MOI VIENT D'ACHETER UNE MAISON EN BRETAGNE, ET M'A INVITÉE À VENIR LA VOIR!

DES VACANCES!

TOUS... TOUS LES DEUX!?

MAIS SI TU, AS MIEUX À FAIRE...

J'IRAI SEULE... QUI ME CONDUIT À L'AÉROPORT?

MOI!!

NON, MOI!!

JE SUIS LIBRE!!

TUUT TUUT

IL FAUT PASSER, CHEZ MOI PRENDRE QUELQUES AFFAIRES, IL FAIT PAS CHAUD, LÀ-HAUT, EN CETTE SAISON...

ET D'AILLEURS, TOI AUSSI TU DEVRAIS TE COUVRIR!

ASPIRINE, BICARBONATE, SIROP POUR LA TOUX...

...ANTIBIOTIQUE...

DÉSINFECTANT...

2

AH! J'ALLAIS OUBLIER L'ASPI-VENIN!...

JOLI CHASSIS...

PEUGEOT 905, DEUX FOIS VICTORIEUSE AUX 24 HEURES DU MANS...

CHASSIS, COQUE EN MATÉRIAU COMPOSITE À BASE DE CARBONE KEVLAR MOTEUR V10, 3,5 LITRES DÉLIVRANT 560 À 680 CHEVAUX UNE... MERVEILLE!

OUI, BIEN SÛR, LA VOITURE...

JE SUIS PRÊT! À NOUS LE GRAND AIR...

LE REPOS...

LES BALADES SUR...

"TROUVER D'ABORD CHERCHER APRÈS." ??

JE NE PENSAIS PAS VRAIMENT TE TROUVER LÀ MAIS C'ÉTAIT MON DERNIER RECOURS. TU NE RÉPONDS PAS À TON PORTABLE!

JE DÉTESTE CES TRUCS, ALAIN! SI TU POUVAIS CESSER DE M'EN OFFRIR, JE N'AURAIS PLUS À LES PERDRE OU À LES CASSER!

LE PROCHAIN VOLUME DES "MANUSCRITS DE SANG" SORT DANS TROIS MOIS, ANNAÏS, ET TU N'AS PAS LIVRÉ LE MOINDRE CHAPITRE!

JE COMPTAIS JUSTEMENT SUR CES QUELQUES JOURS DE CALME POUR M'Y METTRE!

C'EST PAS DES VACANCES?

SI! SI!

QUOI D'AUTRE?

ÇA RESSEMBLE À LA CHAMBRE DE MON NEVEU, ICI! SAUF QUE LUI IL N'A QUE 11 ANS, BIEN SÛR!

VOUS DEVRIEZ PEUT-ÊTRE PASSER LE VOIR, ALORS...

HALLOWEEN APPROCHE... ÇA LUI DONNERA SÛREMENT DES IDÉES DE DÉGUISEMENT!

QUI S'AFFECTE D'UNE INSULTE, S'INFECTE!

QUI NE RÉFLÉCHIT PAS, RÉCITE!!

BIEN. ALLONS-Y LES HOMMES! J'AI UNE GROSSE ENVIE DE VACANCES, LÀ...

LA CULTURE, C'EST CE QUI DEMEURE DANS L'HOMME, LORSQU'IL A TOUT OUBLIÉ...

LA CULTURE, C'EST COMME LA CONFITURE, MOINS ON EN A, PLUS ON L'ÉTALE!

VOUS COMPTEZ COMPARER LA TAILLE DE VOS BICEPS, AUSSI?

SLAM

③

1200 KILOMÉTRES, ET PAS UNE TRACE DE FATIGUE...ELLE EST PAS FORMIDABLE ?!

C'EST BIEN POUR ÇA QUE TU ME L'AS FAIT ACHETER !

TU M'AVAIS DÉTRUIT LA PRÉCÉDENTE !

UNE VOITURE, C'EST UNE VOITURE...

TOI, DE TOUTE FAÇON, TU N'AIMES PAS LES VOITURES, ET TU T'ÉTONNES D'AVOIR RATÉ TON PERMIS HUIT FOIS ! TU SAIS, ELLES LE SENTENT !

NON ! ÇA, JE SAVAIS PAS. ILS DEVRAIENT LE METTRE DANS LE CODE !

ON Y EST !...

JOLI PETIT CABANON !...

LES PRIX SONT MOINS ÉLEVÉS QUE CHEZ NOUS !

...TU M'ÉTONNES, FAUT VOULOIR VIVRE ICI !!

ANNAÏS!

BECKY!

JE SUIS SI CONTENTE DE TE REVOIR!

TU AS FAIT BON VOYAGE?

J'AI LE MEILLEUR DES PILOTES!

UN BON OUVRIER SE RECONNAÎT À SES OUTILS!

J'EN DÉDUIS QUE CE SÉDUISANT JEUNE HOMME EST RAPHAËL!

SMCK

VENEZ! JE VAIS VOUS FAIRE VISITER!

HEU...

OUI!

OUPS!

!

LES BAGAGES!

IL Y A DU NOUVEAU?

ÇA A RE-COMMENCÉ LA NUIT DERNIÈRE,

MAIS...

RIEN DE PLUS QUE D'HABITUDE.

NE T'EN FAIS PAS, BECKY!... NOUS TROUVERONS!

6

JE VAIS T'AIDER !

C'EST GENTIL !... ...À FROID, JE RISQUE DE ME FAIRE UNE HERNIE !

CE SERAIT DOMMAGE DE GÂCHER UN SÉJOUR QUI... S'ANNONCE SI BIEN !!

J'ADORE TA VOITURE...

SURTOUT LA COULEUR...

C'EST **VRAI?..**

C'EST MOI QUI L'AI CHOISIE !! ...SI JE DÉRANGE...

RRRR ZZZ

RRRR ZZZ

RRRR ZZZ

RRRZZZ

GGRRRRMMM

TU ...TU AS ENTENDU ?

ON AURAIT DIT UN GROGNEMENT..., COMME UN CRI D'ANIMAL !

"..MMMH ? ANIMAL ? Y'A DES SOURIS ?

TU N'AS PAS ENTENDU ?

OOOOAA !! MOI, TU SAIS, QUAND JE DORS, JE,...

...ET ET CETTE CHALEUR SOUDAINE.... VOUS ... VOUS LA SENTEZ ?

MAINTENANT QUE TU M'EN PARLES...

JUSQU'ICI, IL S'AGISSAIT UNIQUEMENT DE RÊVES BIZARRES...

...ET D'UNE SENSATION DE PRÉSENCE, MAIS LÀ, ÇA ...

JE SAVAIS BIEN QUE CETTE HISTOIRE DE VACANCES ÉTAIT LOUCHE ! C'EST ENCORE **UN DE TES PLANS INFERNAUX !**

9

POUR L'INSTANT, NOUS NE SOMMES MÊME PAS SÛRS QU'IL SE PASSE **VRAIMENT** QUELQUE CHOSE !

ET TU COMPTAIS ME PRÉVENIR UN JOUR !!

JE... C'EST MA FAUTE...

J'ÉTAIS VRAIMENT INQUIÈTE... ET JE NE SAVAIS PAS QUOI FAIRE...

JE NE SAIS COMMENT VOUS REMERCIER ?

...OUI BIEN SÛR... NOUS NE POUVIONS PAS T'ABANDONNER !

BON ! NE NOUS EMBALLONS PAS !!

LES BRUITS BIZARRES, C'EST COURANT, DANS UNE VIEILLE MAISON,...QUANT À CETTE BOUFFÉE DE CHALEUR ... C'EST L'ÉMOTION ! RETOURNONS NOUS COUCHER !

C'EST PEUT-ÊTRE PAS UNE BONNE IDÉE, QU'ELLE RESTE SEULE...

QUOI ?... QU'EST-CE QUE J'AI DIT ?!

SLAM

C'EST VRAI, ON ME DIT JAMAIS RIEN ...

...ET ON M'ÉCOUTE JAMAIS NON PLUS...

ON SE RETROUVE AU BAR DU PORT !

PRENDS TON TEMPS ÇA PEUT ÊTRE LONG !

ON VA COMMENCER PAR LA BIBLIOTHÈQUE ET LES ARCHIVES DU JOURNAL LOCAL !

AH, NON !! MOI, JE SUIS VENU POUR DES VACANCES, TU TE SOUVIENS ? PAS POUR TRAQUER UN FANTÔME !!

ET PUIS, S'ENFERMER DANS UNE SALLE OBSCURE POUR REMUER LA POUSSIÈRE, C'EST TRÈS MAUVAIS !!

CHIC !! TU M'ACCOMPAGNES, ALORS ?

FAIRE LES BOUTIQUES AVEC UNE FILLE, TU PARLES DE VACANCES !

MARCHER, PROFITER DU BON AIR DU LARGE... L'IODE, C'EST EXCELLENT POUR LA SANTÉ !

LA BIBLIOTHÈQUE EST AU BOUT DE CETTE RUE, À DROITE !

TU DOIS EN VOIR DE BELLES, DANS TON TRAVAIL !

...ÇA, TU PEUX LE DIRE ! TIENS, UN JOUR, PAR EXEMPLE...

BIBLIOTHÈQUE MUNICIPALE

PEINTURES ET RAVALEMENTS

PEINTURES ET RAVALEMENTS STAMBOULIS

S. STAMBOULIS

14

COMMENT TU TROUVES?

TRÈS JOLIS...

HOU, HOU !! C'EST PAR LÀ QUE ÇA SE PASSE !

OUI ! ÇA JE SAIS !

POUF
L'ÉCHO DE BRETAGNE MAI-JUIN 1973

KOF KOF

DITES-MOI CE QUE VOUS CHERCHEZ, JE VOUS DIRAI OÙ LE TROUVER !!

?!

VOUS ÊTES UN PEU JEUNE, POUR ÊTRE ARCHIVISTE !

PARCE QUE JE NE SUIS PAS UN VIEILLARD CACOCHYME ? FAUT VOUS DÉBARRASSER DE VOS PRÉJUGÉS !

MOI, JE SUIS CONTRE !

J'IMAGINE !

SI VOUS VOULEZ DES TRUCS BIZARRES, JE SAIS TOUT CE QU'IL Y A À SAVOIR !

QU'EST-CE QUI VOUS FAIT DIRE ÇA !

PEUT-ÊTRE QUE JE SUIS TRÈS INTUITIF...

..OU QUE JE VOUS AI OBSERVÉE DEPUIS UN MOMENT !

14

REGARDEZ...

?

ÇA, C'EST LE TOP !...

ENFIN... POUR CEUX QUI NE CONNAISSENT QUE LA SURFACE...

...UNE SÉRIE DE MORTS, TOUS DÉFIGURÉS QUI S'ÉTALE SUR UNE LONGUE PÉRIODE MAIS SANS AUCUN LIEN ENTRE ELIX

DES... ACCIDENTS...

MACAB

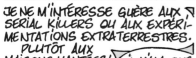

JE NE M'INTÉRESSE GUÈRE AUX SERIAL KILLERS OU AUX EXPÉRI- MENTATIONS EXTRATERRESTRES. PLUTÔT AUX MAISONS HANTÉES !

IL N'Y A QUE LA LANDE ET LES FORÊTS QUI SOIENT HANTÉES CHEZ NOUS... PAS LES MAISONS !

TANT PIS POUR MOI, ALORS ...MERCI !'

MÉFIEZ-VOUS !

ICI, À TROP CHERCHER, ON TROUVE TOUJOURS!

J'ESPÈRE BIEN !

L'ADOLESCENCE, ÇA PEUT ÊTRE DUR À VIVRE.

BAR DU PORT

ALORS ?!!

RIEN DE CONCLUANT !

TU T'ES SÛREMENT MOINS AMUSÉE QUE NOUS !

15

VISIBLEMENT!

OH MANU! DÉJÀ LÀ?

J'AI PRÉFÉRÉ RENTRER... JE LES AI ENTENDUES!

CES CLOCHES QUI SONNENT COMME ÇA, EN PLEIN MILIEU DE NULLE PART, C'EST PAS NORMAL...

?!

T'AS BIEN FAIT!

EXCUSEZ-MOI!...

QU'EST-CE QU'IL Y A?

... J'AI ENTENDU CE QUE VOUS DISIEZ... DES CLOCHES QUI SONNENT EN PLEINE MER??

ON LES A TOUS ENTENDUES UN JOUR OU L'AUTRE, MADAME...

EXCUSE-MOI!...

ON A L'IMPRESSION QU'ELLES SONT SOUS L'EAU MAIS, ON LES ENTEND QUAND MÊME!!

VOUS POUVEZ M'Y EMMENER?

LES TOURISTES!

SI VOUS VOULEZ!

ÇA A UN RAPPORT AVEC NOTRE... AFFAIRE?

PAS QUE JE SACHE! MAIS... ÇA PEUT TOUJOURS ÊTRE INTÉRESSANT!

BIEN, MADAME!

ON SERA DEUX!

OOUMFF!

...OUI, LA DEMOISELLE ET MOI...

16

18

DISPARUE!!

MON DÉBIT D'OXY-GÈNE EST NORMAL... ET JE N'AI JAMAIS ENTENDU PARLER DE MIRAGE ...SOUS L'EAU!

COMBIEN ELLE A D'OXYGÈNE?

ENCORE PAS MAL!

VOUS ÊTES UN STRESSÉ, VOUS... ELLE VA BIEN, VOTRE COPINE!

NON, NON, C'EST JUSTE UNE AMIE!

J'ME DISAIS AUSSI...

19

UNE CITÉ FANTÔME ?!!

C'EST DANS LA RÉGION QU'ON SITUE LA LÉGENDAIRE CITÉ ENGLOUTIE D'YS !

CERTAINS PRÉTENDENT QU'IL S'AGIT EN FAIT DE LA FABULEUSE ATLANTIDE !!

!

QUEL EST LE RAPPORT AVEC CE QUI M'ARRIVE ?

JE NE SAIS PAS MAIS, LA COÏNCIDENCE EST GROSSE...

...JE VAIS FAIRE DES RECHERCHES COMPLÉMENTAIRES SUR INTERNET !

QU'EST-CE QUE TU EN PENSES, RAPHAËL ?

...RAPHAËL ?

HÉÉHOO !! RAPHAËL !!

⚡

HEIN ? QUOI ?...

ON TE DEMANDAIT TON AVIS !

VOUS ÊTES TRÈS BIEN TOUTES LES DEUX... HEU...

?

...CAPABLES D'AVOIR RAISON ! C'EST CE QUE JE PENSE...

EUH... VEUX DIRE...

TU VAS BIEN ?

B..BIEN SÛR...

...LA JOURNÉE A ÉTÉ ÉPROUVANTE...

!

JE VAIS AU LIT...

?

...ENFIN ME COUCHER...

..DORMIR QUOI !!

?

DÉCOUVREZ "LES MYSTÈRES D' **YS** LA FABULEUSE"...

CLK CLK

..PARFAIT!

CLK

BONJOUR ...JE M'APPELLE **YS**, TU VEUX EN VOIR PLUS?

JOIN NOW!!

COMPAQ

!?

INTERNET!...

CLK

..C'EST PAS GAGNÉ... ET J'AI ENCORE TROIS CHAPITRES À ÉCRIRE POUR DEMAIN...

CLK CLK

DONG DONG DONG

22

PAS QUESTION!...

D'ABORD, JE N'AI PAS ASSEZ DORMI ET IL NE SERAIT PAS PRUDENT QUE JE CONDUISE!

JE N'AI RIEN TROUVÉ D'INTÉRESSANT SUR INTERNET. IL FAUT QUE JE RETOURNE EN VILLE...

...C'EST POUR BECKY!

ÇA, C'EST UN COUP BAS!...

TU PEUX TRÈS BIEN Y ALLER À PIED. IL FAIT BEAU, ÇA TE FERA UN PEU D'EXERCICE!

JE PEUX TE PRÊTER UN VÉLO, SI TU VEUX...

LE VÉLO! CH'EST PARFAIT, CHA!

CHROMP

JE VOIS!!...

TOK

SI JE SUIS LA SEULE À VOULOIR SAVOIR CE QU'IL SE PASSE!!

TU VEUX QU'ON SORTE?

HEIN?...

TU ES BIEN VENU PROFITER DES CHARMES DE LA RÉGION?

...HEU, OUI, BIEN SÛR!

DANS CE CAS, LAISSE-MOI TE GUIDER!

23

25

C'EST POUR DEMAIN !

D'ACCORD, JE PRÉVIENS LES AUTRES !

DE MON TEMPS, ON SE RETROUVAIT PLUTÔT AU CAFÉ, AUTOUR DU BABY-FOOT, MAIS JE PRÉSUME QUE ÇA FAIT RINGARD, MAINTENANT...

SI VOUS CHERCHEZ DES RENSEIGNEMENTS SUR LES DERNIÈRES TENDANCES, VOUS N'ÊTES PAS AU BON ENDROIT !

J'AVAIS DEVINÉ, AU PREMIER COUP D'ŒIL !

J'Y VAIS !!

JE DEVRAIS GARDER, MES VANNES POUR MOI, SI JE VEUX PAS FINIR EN POUPÉE VAUDOU...

ELLE SERAIT TRÈS JOLIE, SI ELLE S'ARRANGEAIT UN PEU !

LA BEAUTÉ EST MATÉRIELLE, ET EN TANT QUE TELLE, ELLE N'EST QU'ILLUSION...

...RASSUREZ-MOI, ÇA VOUS ARRIVE DE RIRE ?!...

VOUS N'ÊTES PAS VENUE POUR QUE JE VOUS RACONTE DES HISTOIRES DRÔLES...

24

NON, JE SUIS PAS EN FORME POUR ÇA AUJOURD'HUI...

RACONTEZ-MOI PLUTÔT UNE HISTOIRE TRAGIQUE, CELLE DE LA VILLE D'**YS**, PAR EXEMPLE...

NOTRE PETITE LÉGENDE LOCALE POUR TOURISTE ?...

...LA CITÉ FUT CONSTRUITE PAR **GRADLON**, ROI DE **CORNOUAILLE**, POUR SA FILLE **DAHUT**. CELLE-CI ASSURA LA PÉRENNITÉ DE LA VILLE EN LUI OFFRANT UN PROTECTEUR TRÈS PUISSANT: UN DRAGON...

YS DEVINT ALORS LA PLUS BELLE ET LA PLUS RICHE DES CITÉS...

MAIS, LA CHRÉTIENTÉ CONQUÉRANTE VOYAIT D'UN TRÈS MAUVAIS OEIL QUE LA PRINCESSE RESTE FIDÈLE AUX CROYANCES ANCIENNES ET MÈNE UNE VIE DISSOLUE...

CHAQUE SOIR, ELLE RECEVAIT UN NOUVEL AMANT AU VISAGE MASQUÉ. AU MATIN, APRÈS AVOIR ACCOMPLI SON DEVOIR, L'ÉLU D'UNE NUIT ÉTAIT SACRIFIÉ!...

UN JOUR, UN JEUNE PRINCE EST ARRIVÉ, SÉDUISANT LA PRINCESSE. CELLE-CI LUI REMIT LES CLÉS DE L'ÉCLUSE QUI PRO-TÉGEAIT LA VILLE...

...LE PRINCE OUVRIT L'ÉCLUSE ET LA VILLE DISPARUT SOUS LES FLOTS...

SEUL LE ROI **GRADLON**, GUIDÉ PAR SAINT **GWENOLÉ**, SURVÉCUT, NON SANS AVOIR POUR CELA ABANDONNÉ SA PROPRE FILLE IMPIE AUX FLOTS DÉCHAÎNÉS...

...LA JUSTICE DIVINE AVAIT FRAPPÉ !!... SEXE, AMOUR, TRAGÉDIE, SACRIFICE, RELIGION, TOUS LES INGRÉDIENTS SONT LÀ !!

POUR UN INITIÉ, VOUS N'AVEZ PAS L'AIR D'Y CROIRE!

JE VOUS L'AI DIT, C'EST UNE FABLE POUR LES TOURISTES ET LES ENFANTS... CELA N'A RIEN À VOIR AVEC LES VÉRITA-BLES PUISSANCES QUI NOUS ENTOURENT!

VOUS SERIEZ AMUSANT SI CE N'ÉTAIT PAS **AUSSI DANGEREUX!**

25

POUR L'INSTANT, CE N'EST QU'**UN JEU** POUR VOUS ET VOS AMIS !...

ÇA VOUS PERMET DE METTRE UN PEU DE PIMENT ET D'INTÉRÊT DANS UNE VIE QUE VOUS TROUVEZ TROP ENNUYEUSE ET BANALE !...

MAIS ÇA POURRAIT VITE CHANGER, SI VOUS ALLEZ TROP LOIN !!...

MAIS, MAIS...

...VOUS N'AVEZ AUCUNE IDÉE DES FORCES QUI NOUS ENTOURENT !!...

PAS PLUS DE LEUR PUISSANCE QUE DE LEUR DANGEROSITÉ ! VOS PETITS JEUX PEUVENT...

TRÈS MAL SE TERMINER !!!

IL Y A BIEN ASSEZ DE CAUSES DE DÉCÈS POSSIBLES DANS LA VIE...

N'Y AJOUTEZ PAS LA STUPIDITÉ !!!

SLAM

N'IMPORTE QUOI !!

ELLE DEVRAIT SE FAIRE SOIGNER !

FAUT TE CALMER, ANNAÏS !...

...T'AS PAS ÉTÉ TRÈS DIPLOMATE, SUR CE COUP-LÀ !

J'AI...J'AI FAIT UN RÊVE ÉTRANGE, CETTE NUIT...

C'EST... C'EST PLUS FORT CHAQUE JOUR! ANNAIS ET TOI COMMENCEZ AUSSI À ÊTRE TOUCHÉS!...

J'AI PEUR DE VOUS AVOIR MIS EN DANGER!...

NE T'INQUIÈTE PAS, ON A L'HABITUDE DE CE GENRE DE SITUATION. J'AI VU ANNAIS RÉSOUDRE DES CAS BIEN PLUS ÉTRANGES!

JE SUIS HEUREUSE QUE VOUS SOYEZ LÀ, TOUS LES DEUX...

27

IL PLEUT !?!

C'EST COMME ÇA, ICI ! ON N'EST JAMAIS SÛR DE CE QUE LA JOURNÉE NOUS RÉSERVE !

ÇA A SES BONS CÔTES !

ON DEVRAIT RENTRER ...

...ET ALLUMER LA CHEMINÉE...

VOILÀ UNE EXCELLENTE SUGGEST...

...OH NON ! ANNAÏS !

ELLE VA DEVOIR RENTRER À VÉLO SOUS LA PLUIE ... ELLE VA ÊTRE FURIEUSE !!

BIEN SÛR ! COMMENT AVONS-NOUS PU OUBLIER ... ANNAÏS !

28

UNE BONNE NUIT DE SOMMEIL ET DEMAIN ON MET UN PLAN D'ATTAQUE SUR PIED.

MMFF...

CLKK

RRRZZZ

RAPHAËL! BECKY! MA PORTE EST BLOQUÉE!

CLANG

CLANG

BOM BOM

RAPHAËL! BECKY!!

CRiii

30

YYYYAAA

MHFF

CRRiiiiii

FFFRRRSS

SSHHHHHHH

ON UTILISE LES GRANDS MOYENS...

UN DRAGON DANS LE COULOIR...

J'ESPÈRE QU'IL N'Y A QUE DES PIGEONS SUR LE TOIT !!!

CRiii

AAA!

UMPFF...

CROUÎÎ

OUTCH!!

FORCÉMENT, ÇA DEVAIT ARRIVER!

607

CRÎÎÎ Ξ!

HAN...

UMPF...

BOUGE, MA FILLE!

32

34

BLIIIIDZN

iiiii
MMF

QU'EST-CE QUE JE FAIS LÀ ?!

L...LE MASQUE !

MMF...

HAN !

SHLK SHLK
SHLK

ÇA... ÇA M'ÉTAIT DESTINÉ ?...

QU'EST-CE QU'IL S'EST PASSÉ ?

ANNAÏS... C'EST PAS CE QUE TU CROIS...

JE PENSE SURTOUT QUE C'EST VOUS QUI NE SAVEZ PAS DE QUOI IL S'AGIT !

VOUS ÊTES SOUS INFLUENCE

!

...ET JE NE PARLE PAS DE VOS HORMONES, MAIS DE PHÉNOMÈNES ENCORE PLUS ÉTRANGES !!

?
?

33

AU DÉBUT DU XIXᵉ SIÈCLE, LES CAMPAGNES ÉTAIENT PARSEMÉES DE RUINES DONT TOUT LE MONDE AVAIT OUBLIÉ LES ORIGINES...

SLAM

VRAAA

SCRiii

AFIN DE GAGNER DES SURFACES CULTIVABLES, CES PIERRES ONT ÉTÉ DÉPLACÉES ET UTILISÉES POUR LA CONSTRUCTION DE BÂTIMENTS.

CERTAINES DE CES PIERRES PROVENAIENT DE LA LÉGENDAIRE CITÉ D'**YS**, JE PENSE QUE C'EST LE CAS POUR TA MAISON, BECKY. MAIS L'ESPRIT DE LA PRINCESSE **DAHUT** EST RESTÉ ATTACHÉ AUX VESTIGES DE SA CITÉ ENGLOUTIE. EN EXAMINANT LES ARCHIVES DES JOURNAUX LOCAUX, J'AI DÉCOUVERT QUE DAHUT SE MANIFESTE DÈS QU'UNE DE CES MAISONS EST HABITÉE PAR UNE FEMME SEULE...

1409 TJ 83

VROO

ELLE REPRODUIT ALORS, À TRAVERS CETTE PERSONNE, SON COMPORTEMENT PASSÉ...

ELLE SÉDUIT DES HOMMES ET LES SACRIFIE PAR L'INTERMÉDIAIRE DU MASQUE...

IL ME SUFFIT DE DÉMÉNAGER, POUR QUE TOUT S'ARRÊTE?

POUR TOI, OUI MAIS PAS POUR LES AUTRES...

LES VIVANTS N'ONT PAS À S'EFFACER DEVANT LES MORTS, BECKY, CHACUN A SON TEMPS ET DOIT S'EN CONTENTER!

FFFFLLSHH

PAR OÙ ON COMMENCE?

C'EST À BECKY DE NOUS LE DIRE!

MOI?

▷ **DAHUT** VEUT TE PLACER SOUS SON CONTRÔLE, NOUS ALLONS RETOURNER SES PROPRES ARMES CONTRE ELLE. CONCENTRE-TOI SUR CETTE CONNEXION QU'ELLE A ÉTABLIE ENTRE VOUS ET... GUIDE-NOUS JUSQU'À SA SOURCE!

▷ ESSAIE D'ENTRER EN CONTACT AVEC CETTE PARTIE D'ELLE QUI EST

EN TOI!

36

À DROITE !

♪ SI SA TÊTE SE MET À TOURNER, PRÉVIENS-MOI ! J'AI PAS ENVIE QU'ELLE VOMISSE DANS MA VOITURE !

VROO

ARRÊTE-TOI !!

PAR-LÀ !

JE VAIS PAS DANS L'EAU, MOI ! ELLE DOIT ÊTRE GELÉE !

C'EST TOUT PRÈS !

DRÔLE D'ENDROIT POUR ENTERRER UN CORPS !

ELLE N'A PAS ÉTÉ INHUMÉE MAIS ABANDONNÉE... SAINT GUÉNOLÉ A ORDONNÉ AU ROI GRADLON DE SE DÉBARRASSER DE SA FILLE, QUI S'ACCROCHAIT À SON CHEVAL, S'IL VOULAIT ÉCHAPPER À LA SUBMERSION D'YS...

D'OÙ ÇA SORT, TOUT ÇA ?

PENDANT QUE VOUS VOUS HABILLIEZ, J'AI PENSÉ QU'ON POURRAIT AVOIR BESOIN DE MATÉRIEL POUR NOTRE PETITE EXCURSION !

'Y A PAS DE POULETS MORTS OU DE TRUCS COMME ÇA ?

OH JE PENSE PAS QU'ON EN AURA BESOIN !

ÇA VEUT DIRE QU'IL N'Y EN A PAS ?

35

JE M'ATTENDAIS PAS À ÇA !...

ELLE DEVRAIT PAS ÊTRE PLUS... ...ENFIN MOINS, ENFIN, J'SAIS PAS...

...ÇA FAIT LONGTEMPS QU'ELLE EST LÀ !

LA PRINCESSE, DAHUT N'ÉTAIT PAS DU GENRE À FAIRE COMME TOUT LE MONDE, VIVANTE OU MORTE !

ET MAINTENANT, ON FAIT QUOI ?

ON LUI TROUVE UN ENDROIT OÙ ELLE NOUS FOUTRA LA PAIX !!

TU VEUX DIRE QUE...

ON N'EST PAS VENUS JUSTE POUR LUI FAIRE PRENDRE L'AIR !

IL EST HORS DE QUESTION QU'ELLE...ENFIN QUE CETTE ...ENFIN DE METTRE ÇA DANS MA VOITURE !!

ALLEZ, RAPHAËL ! UN BON MOUVEMENT !!

AAAAH !

C'EST DÉGOÛTANT !!

CESSE DE FAIRE TA CHOCHOTTE ! SOIS UN HOMME !

VOUS ÊTES SÛRS QU'ON FAIT BIEN ?

...ON AURAIT PEUT-ÊTRE DÛ LA LAISSER TRANQUILLE ?

PARCE QUE TU APPELAIS ÇA TRANQUILLE, TOI ?

JE PRÉSUME QUE TU AS PLUS L'HABITUDE QUE MOI !

EN PLUS, J'AI PEUR DE LA CASSER, ÇA DOIT ÊTRE FRAGILE, UNE MOMIE, NON ?

IL NOUS FAUT TROUVER UN TUMULUS !

IL Y A UN CAIRN PAS LOIN D'ICI !

ÇA DEVRAIT FAIRE L'AFFAIRE.

TWii

IL VA FALLOIR QUE JE NETTOIE LE COFFRE À LA JAVEL ! OU PEUT-ÊTRE MÊME À L'ACIDE !!

ALLONS-Y !

HEY ! VOUS NE MONTEZ PAS DANS MA VOITURE AVEC CES BOTTES !!

VROO

C'EST ÇA UN CAÏRN ? ↗
UN TAS DE CAILLOUX !...

C'EST CE QUE
ÇA VEUT DIRE !

... OH ? C'EST
PRATIQUE !!

DÉPÊCHONS-NOUS...

SI NOUS VOULONS QUE
DAHUT REPOSE EN PAIX...

...NOUS DEVONS L'INHUMER
DANS UN LIEU DE SÉPULTURE
DES ANCIENNES CROYANCES !

LE MASQUE !!

38

40

QUOI, LE MASQUE? IL FAUT LE METTRE AVEC ELLE AFIN QU'IL NE RESTE RIEN QUI LA RATTACHE À NOTRE MONDE!

SINON, ON N'ARRIVERA JAMAIS À SE DÉBARRASSER D'ELLE!

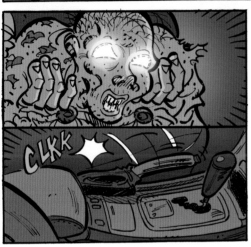

CLKK

HEY!

MA VOITURE!!

STOP! ARRÊTE-TOI! REVIEENS!!

C'EST BON!

...JE, JE N'AI RIEN!!

TITIIIIINE!!

NOON

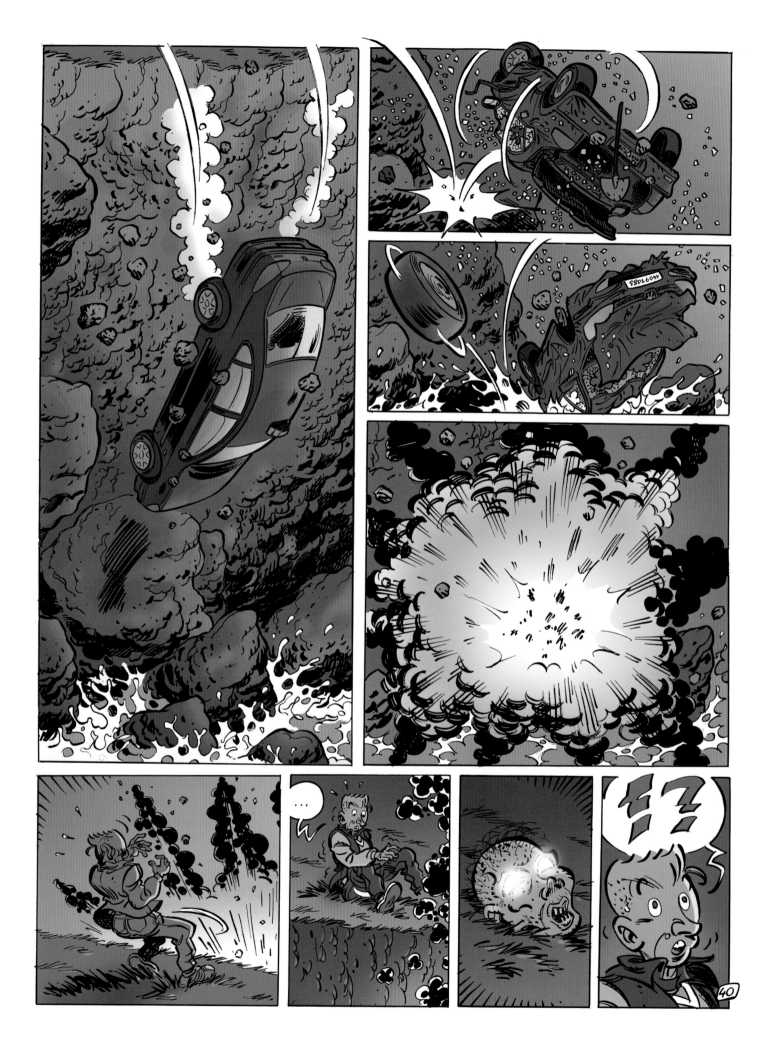

...

ᘓᖇᖇ
NNNNN

AAAAAA

À L'INTÉRIEUR, VIIIIITE!!!

JE PRENDS LA TÊTE!!

JE CROYAIS QU'ELLE VOULAIT TROUVER LE REPOS!

FAUT CROIRE QU'ELLE A PERDU LA TÊTE!

TU AS DÉTRUIT MA VOITURE!!

JE L'AI À PEINE TOUCHÉE!

IL... IL EST DERRIÈRE NOUS!!

41

TIENS!

TROP COURT!

PAS SÛR!!

SCHTOO

TOK!

FSSHHHHH

FFFSSSHHHH

FFFLLSSHH

FFLLSSSHH

PPFFiiuuu!!

CHAMPION DU MONDE!!

ÇA Y EST,. C'EST FINI...

POUR TON FANTÔME, OUI...

PROBLÈME MÉCANIQUE...

ELLE ÉTAIT NEUVE!... TU ES UNE SERIAL-KILLEUSE DE VOITURES! BIENTÔT, ELLES VONT SE SUICIDER RIEN QU'EN TE VOYANT ARRIVER!!

JE T'EN ACHÈTERAI UNE AUTRE!

C'EST PAS LA MÊME CHOSE!!

43

45

MA PREMIÈRE VRAIE NUIT DE SOMMEIL DEPUIS DES SEMAINES!

TU N'AS PLUS À T'INQUIÉTER, BECKY! QUAND ANNAÏS RÈGLE UN PROBLÈME, C'EST POUR DE BON!

ON N'A PAS VRAIMENT PARLÉ DE CE QU'IL S'EST PASSÉ...

DE CE QUI...? OH, OUI! ENFIN, NON!

JE SAIS BIEN QUE NOUS ÉTIONS SOUS INFLUENCE,

MAIS...

VOUS POURRIEZ RESTER ENCORE UN PEU, TOUS LES DEUX, ÇA NOUS LAISSERAIT LE TEMPS DE MIEUX NOUS CONNAÎTRE...

ÇA ME PLAIRAIT...

JE... JE NE SAIS PAS...

JE ... JE CROIS QUE ... ENFIN, TOUTE CETTE HISTOIRE ...

IL VAUDRAIT MIEUX QUE JE RENTRE...

DOMMAGE....

bien était vers son monde de silence, une destination inconnue que nous finirons pourtant par tous atteindre un jour. En attendant, la vie reprenait ses droits. Mais son simple passage constituait à lui seul, la preuve que la mort n'est pas LA fin. Mais simplement UNE fin.

COMFAQ

FIN

SCÉNARIO : D. LATIL
COULEURS : E. GRIGOLI
DESSIN : A. JULIÉ

Bureaux parisiens
81, Bd Richard Lenoir - 75011 Paris

Dépôt légal juillet 2002 - ISBN : 2 - 84565 - 170 - 8

Conception et réalisation graphique Didier Gonord pour Soleil

Impression et reliure : Partenaires